Chinese Made Super Easy

by Joscelyn Quek

Windgrass Publications

First Published   2004

Windgrass Publications
1 Marine Parade Central
08-03 Parkway Centre
Singapore 449408
Tel: 6344-8218

ISBN No.   981- 05-0278-8

Printed by Seng Lee Press Pte Ltd

Introduction

My aim of writing this book is to help students to learn Chinese more efficiently as I have noticed that many students find it difficult to learn Chinese. **Chinese Made Super Easy** enables you to learn Chinese through a systematic,easy and effective method. It can be used as a textbook or for self-study and is suitable for all ages.

The content of this book includes vocabulary,basic and extended sentences, phrases and questions. The chapter, Grammar, shows you some basic differences between Chinese and English grammar structure whilst the chapter, Hanyu Pinyin, briefs you on the structure of hanyu pinyin.

Firstly,you have to know the Hanyu
Pinyin before you can master the
pronunciation of Chinese words.

Beginners are encouraged to follow the
 following learning steps:

1. learn 100 to 200 words

2. get yourself familiar with the basic
   sentences,phrases and questions

3. proceed to the extended sentences

I sincerely wish that this book can be of
great help to you.

Happy learning!

Contents

Grammar

1. Nouns

Nouns in Chinese have no singular and plural distinctions.

eg one **dog**　　一 只 狗
　　　　　　　　yì　zhī　gǒu

ten **dogs**　　十 只 狗
　　　　　　　shí　zhī　gǒu

2. Articles

There are no articles in Chinese such as 'a', 'the' in English.

我 去 买 车
wǒ　qù　mǎi　chē

I went to buy **a car**　　　　or
I went to buy **the car**

1

3. Verb Tenses

Verbs do not change their forms to indicate **present, past,future** or **continous.**

4. Verb forms

Verbs have only one form.

eg huà means draw and it is used in :

I **draw** fish

我 画 鱼
wǒ huà yú

He **draws** fish

他 画 鱼
tā huà yú

We **draw** fish

我 们 画 鱼
wǒ men huà yú

5. Measure Words
Different measure words are used with different nouns.

a dog	一 yì	只 zhī	狗 gǒu
a fish	一 yì	条 tiáo	鱼 yú
a person	一 yì	个 gè	人 rén

Hanyu Pinyin

声 母
1. shēng mǔ   **Consonants**

b   p   m   f

d   t   n   l

g   k   h

j   q   x

zh   ch   sh   r

z   c   s

y   w

2. 单 韵 母
dān yùn mǔ **Single Vowels**

a o e i u ü

3. 复 韵 母
fù yùn mǔ **Compound Vowels**

ai   ao   an   ang

ou   ong

ei   en   eng   er

ie   iu   in   ing

uo   ui   un

üe   ün

Tones

first tone	-
second tone	/
third tone	ˇ
fourth tone	\
neutral tone	no sign

<u>Combination of Consonants & Vowels</u>

1. Consonant + single vowel

eg father   爸 ：   bà

grandmother 婆 ：   pó

mother   妈 ：   mā

big   大 ：   dà

he   他 ：   tā

take   拿 ：   ná

pull   拉 ：   lā

older brother 哥 ：   gē

drink   喝 ：   hē

wash   洗 ：   xǐ

pig   猪 ：   zhū

book   书 ：   shū

fish   鱼 ：   yú

Exercise

pen	笔	：
climb	爬	：
wood	木	：
younger brother	弟	：
rabbit	兔	：
you	你	：
road	路	：
cry	哭	：
chicken	鸡	：
car	车	：
is	是	：
colour	色	：

2.consonant + compound vowel

eg white   白 :   bái
    help   帮 :   bāng
    run   跑 :   pǎo
    buy   买 :   mǎi
    wind   风 :   fēng
    sugar   糖 :   táng
    come   来 :   lái
    tall   高 :   gāo
    sea   海 :   hǎi
    sing   唱 :   chàng
    early/morning 早 : zǎo
    want   要 :   yào

Exercise

猫 :_____ cat

蛋 :_____ egg

狗 :_____ dog

红 :_____ red

问 :_____ ask

慢 :_____ slow

刀 :_____ knife

男 :_____ male

蓝 :_____ blue

口 :_____ mouth

火 :_____ fire

站 :_____ stand

3.consonant + single vowel + compound vowel

eg

骗	: piàn	cheat
面	:miàn	noodle
店	:diàn	shop
天	:tiān	sky
年	:nián	year
脸	:liǎn	face
剪	:jiǎn	cut
钱	:qián	money
先	:xiān	first
短	:duǎn	short
关	:guān	close
穿	:chuān	wear
变	:biàn	change

Exercise

甜　　sweet :

见　　see :

前　　front :

咸　　salty :

换　　change :

床　　bed :

远　　far :

赚　　earn :

双　　pair :

边　　side :

片　　piece :

链　　necklace :

圆　　round :

4. consonant + single vowel + single vowel

eg 家 : jiā home
画 : huà draw
下 : xià below
挂 : guà hang
刷 : shuā brush

Exercise

加 :_____ add
花 :_____ flower
虾 :_____ prawn
抓 :_____ grab

5. Compound vowel
eg

爱 ： ài love
暗 ： àn dark
凹 ： āo concave

耳 ： ear
矮 ： short
二 ： two

basic

Sentences

在 (zài)　　　**am / am in**

我 在 睡 觉
1 wǒ　zài　shuì　jiào

I **am** sleeping.

我 在 读 书
2 wǒ　zài　dú　shū

I **am** studying.

我 在 跳
3 wǒ　zài　tiào

I **am** jumping.

我 在 笑
4 wǒ　zài　xiào

I **am** laughing

5. 我 在 吃 鱼
wǒ　zài　chī　yú

I **am** eating a fish.

6. 我 在 吃 水 果
wǒ　zài　chī　shuǐ　guǒ

I **am** eating some fruits.

7. 我 在 学 校
wǒ　zài　xué　xiào

I **am in** the school.

8. 我 在 公 园
wǒ　zài　gōng　yuán

I **am in** the park.

Exercise

我 在 _____
wǒ zài

我 在 _____
wǒ zài

我 在 _____
wǒ zài

我 在 _____
wǒ zài

我 在 _____
wǒ zài

要 (yào)　　**want**

1. 我 要 唱 歌
   wǒ　yào　chàng　gē

   I **want** to sing.

2. 我 要 跳 舞
   wǒ　yào　tiào　wǔ

   I **want** to dance.

3. 我 要 洗 脸
   wǒ　yào　xǐ　liǎn

   I **want** to wash my
   face.

4. 我 要 洗 头 发
   wǒ　yào　xǐ　tóu　fà

   I **want** to wash my hair.

5. 我 要 洗 衣 服
wǒ yào xǐ yī fú

I **want** to wash my clothes.

6. 我 要 买
wǒ yào mǎi

I **want** to buy.

7. 我 要 玩
wǒ yào wán

I **want** to play.

8. 我 要 站
wǒ yào zhàn

I **want** to stand.

Exercise

你 要
nǐ yào
_____

你 要
nǐ yào
_____

你 要
nǐ yào
_____

你 要
nǐ yào
_____

你 要
nǐ yào
_____

有 (yǒu)　　　have

1.
他 有 兔 子
tā　yǒu　tù　zi

He **has** a rabbit.

2.
他 有 猫
tā　yǒu　māo

He **has** a cat.

3.
公 园 有 树
gōng　yuán　yǒu　shù

There are trees in the park.

4.
公 园 有 花
gōng　yuán　yǒu　huā

There are flowers in the park.

5. 公 园 有 小 孩
gōng yuán yǒu xiǎo hái

There are children in the park.

6. 他 有 书 包
tā yǒu shū bāo

He **has** a school bag.

7. 他 有 车
tā yǒu chē

He **has** a car.

8. 他 有 雨 伞
tā yǒu yǔ sǎn

He **has** an umbrella.

Exercise

他 有
tā yǒu _____

他 有
tā yǒu _____

他 有
tā yǒu _____

他 有
tā yǒu _____

他 有
tā yǒu _____

会 (huì)　　　　can

1. 我 会 游 泳
   wǒ　huì　yóu　yǒng
   I **can** swim.

2. 我 会 画 画
   wǒ　huì　huà　huà
   I **can** draw.

3. 我 会 煮
   wǒ　huì　zhǔ
   I **can** cook.

4. 我 会 写
   wǒ　huì　xiě
   I **can** write.

5. 我 会 做 蛋 糕

wǒ　huì　zuò　dàn　gāo

I **can** make cakes.

6. 我 会 做 饼 干

wǒ　huì　zuò　bǐng　gān

I **can** make biscuits.

7. 我 会 做 面 包

wǒ　huì　zuò　miàn　bāo

I **can** make
bread.

Exercise

我 会
wǒ huì
_____

我 会
wǒ huì
_____

我 会
wǒ huì
_____

我 会
wǒ huì
_____

我 会
wǒ huì
_____

是 (shì)　　　　　is

1. 这 是 飞 机
zhè　shì　fēi　jī

This **is** an aeroplane.

2. 这 是 船
zhè　shì　chuán

This **is** a
boat.

3. 这 是 火 车
zhè　shì　huǒ　chē

This **is** a train.

4. 那 是 桌 子
nà　shì　zhuō　zi

That **is** a table.

5. 那 是 椅 子
nà shì yǐ zi

That is a chair.

6. 那 是 门
nà shì mén

That is a door.

7. 他 是 老 师
tā shì lǎo shī

He is a teacher.

8. 他 是 医 生
tā shì yī shēng

He is a doctor.

这 是
zhè shì _____

这 是
zhè shì _____

那 是
nà shì _____

那 是
nà shì _____

他 是
tā shì _____

他 是
tā shì _____

动 词
dòng cí **verb**

1. 我 喝 水
wǒ hē shuǐ

I **drink** water.

2. 我 喝 咖 啡
wǒ hē kā fēi

I **drink** coffee.

3. 我 喝 茶
wǒ hē chá

I **drink** tea.

4. 我 喝 牛 奶
wǒ hē niú nǎi

I **drink** milk.

5. 我 买 书
wǒ mǎi shū

I **bought** a book.

6. 我 买 皮 包
wǒ mǎi pí bāo

I **bought** a handbag.

7. 我 买 鞋 子
wǒ mǎi xié zi

I **bought** the shoes.

8. 我 买 帽 子
wǒ mǎi mào zi

I **bought** a hat.

Exercise

你
nǐ
_____

你
nǐ
_____

你
nǐ
_____

你
nǐ
_____

你
nǐ
_____

很 (hěn)　　very

1. 我　很　高
   wǒ　hěn　gāo

   I am **very** tall.

2. 我　很　矮
   wǒ　hěn　ǎi

   I am **very** short.

3. 我　很　胖
   wǒ　hěn　pàng

   I am **very** fat.

4. 我　很　瘦
   wǒ　hěn　shòu

   I am **very** thin.

5. 我 很 高 兴
wǒ hěn gāo xìng

I am **very** happy

6. 我 很 伤 心
wǒ hěn shāng xīn

I am **very** sad.

7. 我 很 热
wǒ hěn rè

I am **very** hot.

8. 我 很 冷
wǒ hěn lěng

I am **very** cold.

Exercise

我 很
wǒ hěn _____

我 很
wǒ hěn _____

我 很
wǒ hěn _____

我 很
wǒ hěn _____

我 很
wǒ hěn _____

去 (qù)   **go**

1. 我 去 医 院
wǒ qù yī yuàn

I **went** to the hospital.

2. 我 去 公 园
wǒ qù gōng yuán

I **went** to the park.

3. 我 去 巴 刹
wǒ qù bā shā

I **went** to the market.

4. 我 去 旅 行
wǒ qù lǚ xíng

I **went** travelling.

5. 我 去 跑 步

   wǒ qù pǎo bù

I **went** for a jog

6. 我 去 购 物

   wǒ qù gòu wù

I **went** shopping.

7. 我 去 买 面 包

   wǒ qù mǎi miàn bāo

I **went** to buy some bread.

8. 我 去 买 水 果

   wǒ qù mǎi shuǐ guǒ

I **went** to buy some fruits.

Exercise

你 去
nǐ qù
_____

你 去
nǐ qù
_____

你 去
nǐ qù
_____

你 去
nǐ qù
_____

你 去
nǐ qù
_____

喜 欢
xǐ huān   **like**

1. 他 喜 欢 游 泳
   tā xǐ huān yóu yǒng

He **likes** swimming.

2. 他 喜 欢 跳 舞
   tā xǐ huān tiào wǔ

He **likes** dancing.

3. 他 喜 欢 画 画
   tā xǐ huān huà huà

He **likes** drawing.

4. 他 喜 欢 画 木 瓜
   tā xǐ huān huà mù guā

He **likes** to draw papayas.

5. 他 喜 欢 画 山
   tā xǐ huān huà shān

He **likes** to draw mountains.

6. 他 喜 欢 画 气 球
   tā xǐ huān huà qì qiú

He **likes** to draw balloons.

7. 他 喜 欢 兔 子
   tā xǐ huān tù zi

He **likes** rabbits.

8. 他 喜 欢 马
   tā xǐ huān mǎ

He **likes** horses.

Exercise

他 喜 欢
tā　xǐ　huān _____

他 喜 欢
tā　xǐ　huān _____

他 喜 欢
tā　xǐ　huān _____

他 喜 欢
tā　xǐ　huān _____

他 喜 欢
tā　xǐ　huān _____

给 (gěi)　　　　give

1.
我 给 你 饼 干
wǒ　gěi　nǐ　bǐng　gān

I give you a biscuit.

2.
我 给 你 钱
wǒ　gěi　nǐ　qián

I give you some money.

3.
我 给 你 糖 果
wǒ　gěi　nǐ　táng　guǒ

I give you some sweets.

4.
我 给 你 西 瓜
wǒ　gěi　nǐ　xī　guā

I give you a watermelon.

43

我 给 你 面 包
5. wǒ gěi nǐ miàn bāo

I give you some bread.

我 给 你 芒 果
6. wǒ gěi nǐ máng guǒ

I give you a mango.

我 给 你 蛋 糕
7. wǒ gěi nǐ dàn gāo

I give you a cake.

我 给 你 铅 笔
8. wǒ gěi nǐ qiān bǐ

I give you a pencil.

Exercise

我 给 你
wǒ gěi nǐ _____

我 给 你
wǒ gěi nǐ _____

我 给 你
wǒ gěi nǐ _____

我 给 你
wǒ gěi nǐ _____

我 给 你
wǒ gěi nǐ _____

从 (cóng)   from

1.
他 从 中 国 来
tā cóng zhōng guó lái

He comes **from** China.

2.
他 从 英 国 来
tā cóng yīng guó lái

He comes **from** England.

3.
他 从 美 国 来
tā cóng měi guó lái

He comes **from** America.

4.
他 从 日 本 来
tā cóng rì běn lái

He comes **from** Japan.

5.
他 从 新 加 坡 来

tā cóng xīn jiā pō lái

He comes **from** Singapore.

6.
他 从 法 国 来

tā cóng fǎ guó lái

He comes **from** France.

7.
他 从 家 里 来

tā cóng jiā lǐ lái

He comes **from** home.

8.
他 从 香 港 来

tā cóng xiāng gǎng lái

He comes **from** Hong Kong.

Exercise

他 从 _____ 来
tā cóng   lái

他 从 _____ 来
tā cóng   lái

他 从 _____ 来
tā cóng   lái

他 从 _____ 来
tā cóng   lái

他 从 _____ 来
tā cóng   lái

被 (bèi)   a word used before the main verb to express the passive

1.
他 被 明 明 打
tā bèi míng míng dǎ

He **was** hit by Ming Ming.

2.
他 被 明 明 骂
tā bèi míng míng mà

He **was** scolded by Ming Ming.

3.
他 被 明 明 踢
tā bèi míng míng tī

He **was** kicked by Ming Ming.

4.
他 被 明 明 推
tā bèi míng míng tuī

He **was** pushed by Ming Ming.

5. 他 被 明 明 骗
   tā bèi míng míng piàn

He **was** cheated by Ming Ming.

6. 他 被 明 明 追
   tā bèi míng míng zhuī

He **was** chased by Ming Ming.

7. 他 被 明 明 咬
   tā bèi míng míng yǎo

He **was** bitten by Ming Ming.

Exercise

他 被 明 明 _____
tā bèi míng míng

他 被 明 明 _____
tā bèi míng míng

他 被 明 明 _____
tā bèi míng míng

他 被 明 明 _____
tā bèi míng míng

他 被 明 明 _____
tā bèi míng míng

把 (bǎ) used before a direct object, followed by a transitive verb

1.
我 把 蛋 糕 吃 了
wǒ bǎ dàn gāo chī le

I ate the cake.

2.
我 把 衣 服 洗 了
wǒ bǎ yī fú xǐ le

I washed the clothes.

3.
我 把 头 发 剪 了
wǒ bǎ tóu fā jiǎn le

I have my hair cut.

4.
我 把 小 狗 赶 走
wǒ bǎ xiǎo gǒu gǎn zǒu

I chased away the dog.

5. 我 把 牛 奶 喝 了
wǒ bǎ niú nǎi hē le

I drank the milk.

Exercise

我 把
wǒ bǎ ＿＿＿＿＿＿＿＿＿＿＿＿＿＿＿

我 把
wǒ bǎ ＿＿＿＿＿＿＿＿＿＿＿＿＿＿＿

我 把
wǒ bǎ ＿＿＿＿＿＿＿＿＿＿＿＿＿＿＿

我 把
wǒ bǎ ＿＿＿＿＿＿＿＿＿＿＿＿＿＿＿

我 把
wǒ bǎ ＿＿＿＿＿＿＿＿＿＿＿＿＿＿＿

Phrases

我 的
wǒ　de

my

1. 我 的 爸 爸
wǒ　de　bà　ba

My father

2. 我 的 铅 笔
wǒ　de　qiān　bǐ

My pencil

3. 我 的 房 间
wǒ　de　fáng　jiān

My room

4. 我 的 电 脑
wǒ　de　diàn　nǎo

My computer

5. 我 的 脸
wǒ de liǎn

My face

6. 我 的 家
wǒ de jiā

My home

7. 我 的 姐 姐
wǒ de jiě jie

My elder sister

8. 我 的 妹 妹
wǒ de mèi mei

My younger sister

Exercise

我 的
wǒ   de   _____

我 的
wǒ   de   _____

我 的
wǒ   de   _____

我 的
wǒ   de   _____

我 的
wǒ   de   _____

和 (hé)　　　**and**

1. 我 和 哥 哥
   wǒ　hé　gē　ge

   My elder brother **and** I

2. 我 和 叔 叔
   wǒ　hé　shū　shu

   My uncle **and** I

3. 我 和 你
   wǒ　hé　nǐ

   You **and** I

4. 花 和 草
   huā　hé　cǎo

   Flower **and** grass

5. 蛋 糕 和 饼 干
dàn gāo hé bǐng gān

cakes and biscuits

6. 老 师 和 学 生
lǎo shī hé xué shēng

teachers and students

7. 苹 果 和 橙
píng guǒ hé chéng

apples and oranges

8. 牛 和 羊
niú hé yáng

cows and goats

Exercise

和
hé

_____ _____

和
hé

_____ _____

和
hé

_____ _____

和
hé

_____ _____

和
hé

_____ _____

形 容 词
xíng róng cí

adjective

1. 美 丽 的 花
měi lì de huā

beautiful flowers

2. 蓝 蓝 的 海
lán lán de hǎi

blue sea

3. 圆 圆 的 月 亮
yuán yuán de yuè liàng

round moon

4. 闪 亮 的 星 星
shǎn liàng de xīng xing

shinning stars

5. 明 亮 的 眼 睛
míng liàng de yǎn jīng

bright eyes

6. 可 爱 的 狗
kě ài de gǒu

cute dogs

7. 美 味 的 食 物
měi wèi de shí wù

delicious food

8. 新 鲜 的 水 果
xīn xiān de shuǐ guǒ

fresh fruits

Exercise

_____ 花
　　　　　　　　 huā

_____ 海
　　　　　　　　 hǎi

_____ 月　亮
　　　　　　　　 yuè　liàng

_____ 星　星
　　　　　　　　 xīng　xing

_____ 眼　睛
　　　　　　　　 yǎn　jīng

_____ 狗
　　　　　　　　 gǒu

_____ 食　物
　　　　　　　　 shí　wù

_____ 水　果
　　　　　　　　 shuǐ　guǒ

形 容 词
xíng róng cí

adjective

高 山
1. gāo shān

tall mountain

大 海
2. dà hǎi

big sea

小 路
3. xiǎo lù

small road

好 人
4. hāo rén

good person

5. 坏 人
huài rén

bad person

6. 冷 天
lěng tiān

cold day

7. 热 天
rè tiān

hot day

8. 圆 脸
yuán liǎn

round face

Exercise

_____ 山 shān

_____ 海 hǎi

_____ 路 lù

_____ 人 rén

_____ 天 tiān

_____ 脸 liǎn

副 词
fù cí

adverb

1. 慢 慢 地 吃
   màn màn de chī

   eat **slowly**

2. 快 快 地 跑
   kuài kuài de pǎo

   run **quickly**

3. 高 兴 地 唱 歌
   gāo xìng de chàng gē

   sing **happily**

4. 小 声 地 哭
   xiǎo shēng de kū

   cry **softly**

5. 用 心 地 学
   yòng xīn de xué

learn attentively

6. 小 心 地 写
   xiǎo xīn de xiě

write carefully

7. 大 声 地 读
   dà shēng de dú

read loudly

8. 静 静 地 想
   jìng jìng de xiǎng

think quitely

Exercise

吃
chī

跑
pǎo

唱 歌
chàng gē

哭
kū

学
xué

写
xiě

读
dú

想
xiǎng

量 词
liáng cí   **measure word**

一 个 人
yí gè rén   a person

一 个 公 园
yí gè gōng yuán   a park

一 个 头
yí gè tóu   a head

一 个 早 上
yí gè zǎo shàng   one morning

一 个 老 师
yí gè lǎo shī   a teacher

一 辆 汽 车
yí liàng qì chē   a car

一 辆 巴 士
yí liàng bā shì   a bus

一 只 狗
yì zhī gǒu   a dog

一 只 猫
yì zhī māo   a cat

一 只 兔 子
yì zhī tù zi   a rabbit

一 只 老 虎
yì zhī lǎo hǔ   a tiger

一 张 床
yì zhāng chuáng

a bed

一 张 纸
yì zhāng zhǐ

a piece of paper

一 张 椅 子
yì zhāng yǐ zi

a chair

一 张 桌 子
yì zhāng zhuō zi

a table

一 杯 水
yì bēi shuǐ

a cup of water

一 杯 咖 啡
yì bēi kā fēi

a cup of coffee

一 条 鱼
yì tiáo yú　　a fish

一 条 蛇
yì tiáo shé　　a snake

一 间 学 校
yì jiān xué xiào　　a school

一 间 医 院
yì jiān yī yuàn　　a hospital

一 间 房 间
yì jiān fáng jiān　　a room

一 间 戏 院
yì jiān xì yuàn　　a cinema

Exercise

一　个 _____
yí　gè

一　辆 _____
yí　liàng

一　只 _____
yì　zhī

一　张 _____
yì　zhāng

一　杯 _____
yì　bēi

一　条 _____
yì　tiáo

一　间 _____
yì　jiān

Extended

Sentences

都 (dōu)　　　　　all

1. 我 们 都 在 读 书
   wǒ men dōu zài dú shū

All of us are studying.

2. 我 们 都 要 买
   wǒ men dōu yào mǎi

All of us want to buy it.

3. 我 们 都 有 猫
   wǒ men dōu yǒu māo

All of us have cats.

4. 我 们 都 会 画 云
   wǒ men dōu huì huà yún

All of us know how to draw
clouds.

我 们 都 是 老 师

5. wǒ men dōu shì lǎo shī

All of us are teachers.

我 们 都 喝 茶

6. wǒ men dōu hē chá

All of us drink tea.

我 们 都 很 高 兴

7. wǒ men dōu hěn gāo xìng

All of us are very happy.

我 们 都 去 公 园

8. wǒ men dōu qù gōng yuán

All of us went to the park.

Exercise

我 们 都 在 ＿＿＿＿＿
wǒ men dōu zài

我 们 都 要 ＿＿＿＿＿
wǒ men dōu yào

我 们 都 有 ＿＿＿＿＿
wǒ men dōu yǒu

我 们 都 会 ＿＿＿＿＿
wǒ men dōu huì

我 们 都 是 ＿＿＿＿＿
wǒ men dōu shì

我 们 都 ＿＿＿＿＿
wǒ men dōu

我 们 都 很 ＿＿＿＿＿
wǒ men dōu hěn

我 们 都 去 ＿＿＿＿＿
wǒ men dōu qù

最 (zuì)　　　　most

1.
他 最 会 画 画
tā　zuì　huì　huà　huà

He can draw **the best.**

2.
他 最 会 煮
tā　zuì　huì　zhǔ

He can cook **the best.**

3.
他 最 会 画 鸟
tā　zuì　huì　huà　niǎo

He can draw birds **best.**

4.
他 最 胖
tā　zuì　pàng

He is **the fattest**

80

5. 他 最 矮
   tā zuì ǎi

He is **the shortest.**

6. 他 最 高
   tā zuì gāo

He is **the tallest.**

7. 他 最 喜 欢 游 泳
   tā zuì xǐ huān yóu yǒng

He likes swimming
most.

8. 他 最 喜 欢 画 山
   tā zuì xǐ huān huà shān

He likes to draw mountains **most.**

Exercise

他 最 会
tā zuì huì _____

他 最 会
tā zuì huì _____

他 最 会
tā zuì huì _____

他 最
tā zuì _____

他 最
tā zuì _____

他 最 喜 欢
tā zuì xǐ huān _____

他 最 喜 欢
tā zuì xǐ huān _____

他 最 喜 欢
tā zuì xǐ huān _____

再 (zài)　　　　**again**

1. 我　要　再　唱　歌
   wǒ　yào　zài　chàng　gē

   I want to sing **again.**

2. 我　要　再　洗　脸
   wǒ　yào　zài　xǐ　liǎn

   I want to wash my
   face **again.**

3. 我　要　再　玩
   wǒ　yào　zài　wán

   I want to play **again.**

4. 我　再　喝　水
   wǒ　zài　hē　shuǐ

   I drank the water **again.**

5. 我 再 买 书
wǒ zài mǎi shū

I bought a book **again.**

6. 我 再 去 公 园
wǒ zài qù gōng yuán

I went to the park **again.**

7. 我 再 去 购 物
wǒ zài qù gòu wù

I went shopping **again.**

8. 我 再 去 买 水 果
wǒ zài qù mǎi shuǐ guǒ

I went to buy some fruits **again.**

Exercise

我 要 再 _____
wǒ yào zài

我 要 再 _____
wǒ yào zài

我 要 再 _____
wǒ yào zài

我 再 _____
wǒ zài

我 再 _____
wǒ zài

我 再 去 _____
wǒ zài qù

我 再 去 _____
wǒ zài qù

得 (de)   to be placed after a verb
followed by a complement which
indicate its degree or outcome

1. 我 来 得 很 早
wǒ lái de hěn zǎo

I came very early.

2. 我 问 得 很 多
wǒ wèn de hěn duō

I asked a lot.

3. 我 哭 得 很 伤 心
wǒ kū de hěn shāng xīn

I cried very sadly.

4. 我 走 得 很 慢
wǒ zǒu de hěn màn

I walked very slowly.

5 我 跑 得 很 快
wǒ pǎo de hěn kuài

I ran very quickly.

6 我 画 得 很 美
wǒ huà de hěn měi

I drew very beautifully.

7 我 唱 得 很 大 声
wǒ chàng de hěn dà shēng

I sang very loudly.

Exercise

我 来 得 很
wǒ lái de hěn _____

我 问 得 很
wǒ wèn de hěn _____

我 哭 得 很
wǒ kū de hěn _____

我 走 得 很
wǒ zǒu de hěn _____

我 跑 得 很
wǒ pǎo de hěn _____

我 画 得 很
wǒ huà de hěn _____

我 唱 得 很
wǒ chàng de hěn _____

很 (hěn)　　　very

1 他 很 会 游 泳
tā　hěn　huì　yóu　yǒng

He can swim **very well.**

2 他 很 会 画 画
tā　hěn　huì　huà　huà

He can draw **very well.**

3 他 很 会 煮
tā　hěn　huì　zhǔ

He can cook **very well.**

4 他 很 会 唱 歌
tā　hěn　huì　chàng　gē

He can sing **very well**.

5 他 很 喜 欢 运 动
tā hěn xǐ huān yùn dòng

He likes to exercise **very much.**

6 他 很 喜 欢 画 气 球
tā hěn xǐ huān huà qì qiú

He likes to draw balloons **very much.**

7 他 很 喜 欢 马
tā hěn xǐ huān mǎ

He likes horses **very much.**

Exercise

他 很 会
tā hěn huì
_____

他 很 会
tā hěn huì
_____

他 很 会
tā hěn huì
_____

他 很 喜 欢
tā hěn xǐ huān
_____

他 很 喜 欢
tā hěn xǐ huān
_____

他 很 喜 欢
tā hěn xǐ huān
_____

还 没 有
hái　méi　yǒu

have not

1 你 还 没 有 喝 水
nǐ　hái　méi　yǒu　hē　shuǐ

You **have not** drunk any water.

2 你 还 没 有 喝 茶
nǐ　hái　méi　yǒu　hē　chá

You **have not** drunk the tea.

3 你 还 没 有 喝 咖 啡
nǐ　hái　méi　yǒu　hē　kā　fēi

You **have not** drunk the coffee.

4 你 还 没 有 喝 牛 奶
nǐ　hái　méi　yǒu　hē　niú　nǎi

You **have not** drunk the milk.

5 你 还 没 有 去 医 院
nǐ hái méi yǒu qù yī yuàn

You **have not** gone to the hospital.

6 你 还 没 有 去 旅 行
nǐ hái méi yǒu qù lǚ xíng

You **have not** gone for a tour.

7 你 还 没 有 去 跑 步
nǐ hái méi yǒu qù pǎo bù

You **have not** gone for a jog.

8 你 还 没 有 去 买 面 包
nǐ hái méi yǒu qù mǎi miàn bāo

You **have not** gone to buy some bread.

Exercise

你 还 没 有 _____
nǐ hái méi yǒu

你 还 没 有 _____
nǐ hái méi yǒu

你 还 没 有 _____
nǐ hái méi yǒu

你 还 没 有 _____
nǐ hái méi yǒu

你 还 没 有 _____
nǐ hái méi yǒu

已 经
yǐ jīng

already

1 我 已 经 喝 水 了
wǒ yǐ jīng hē shuǐ le

I have already drunk some water.

2 我 已 经 喝 咖 啡 了
wǒ yǐ jīng hē kā fēi le

I have already drunk some coffee.

3 我 已 经 喝 茶 了
wǒ yǐ jīng hē chá le

I have already drunk some tea.

4　我　已　经　问　了
wǒ　yǐ　jīng　wèn　le

I have already asked.

5　我　已　经　写　了
wǒ　yǐ　jīng　xiě　le

I have already written.

6　我　已　经　去　医　院　了
wǒ　yǐ　jīng　qù　yī　yuàn　le

I have already gone to the hospital.

Exercise

我　已　经　_____
wǒ　yǐ　jīng

我　已　经　_____
wǒ　yǐ　jīng

我　已　经　_____
wǒ　yǐ　jīng

我　已　经　_____
wǒ　yǐ　jīng

我　已　经　_____
wǒ　yǐ　jīng

上 (shàng)　　　　on

1 他 写 在 纸 上
tā xiě zài zhǐ shàng

He wrote **on** the paper.

2 他 睡 在 床 上
tā shuì zài chuáng shàng

He sleeps **on** the bed.

3 他 站 在 椅 子 上
tā zhàn zài yī zi shàng

He stands **on** the chair.

4 他 画 在 墙 上
tā huà zài qiáng shàng

He draws **on** the wall.

5 他 坐 在 沙 发 上
　 tā zuò zài shā fā shàng

He sits **on** the sofa.

6 他 坐 在 沙 滩 上
　 tā zuò zài shā tān shàng

He walks **on** the beach.

7 他 躺 在 草 地 上
　 tā tǎng zài cǎo dì shàng

He lay **on** the grass.

Exercise

他 写 在 ＿＿＿＿＿＿＿ 上
tā xiě zài shàng

他 睡 在 ＿＿＿＿＿＿＿ 上
tā shuì zài shàng

他 站 在 ＿＿＿＿＿＿＿ 上
tā zhàn zài shàng

他 画 在 ＿＿＿＿＿＿＿ 上
tā huà zài shàng

他 坐 在 ＿＿＿＿＿＿＿ 上
tā zuò zài shàng

他 躺 在 ＿＿＿＿＿＿＿ 上
tā tǎng zài shàng

也 (yě)　　　　also / too

1　我 要 唱 歌 ， 也 要 跳 舞 。
　wǒ yào chàng gē　yě yào tiào wǔ

I want to sing. I want to dance **too**.

2　我 有 兔 子 ， 也 有 猫 。
　wǒ yǒu tù zi　yě yǒu māo

I have a rabbit. I have a cat **too**.

3　我 会 做 蛋 糕 也 会 做 面 包 。
　wǒ huì zuò dàn gāo , yě huì zuò miàn bāo

I can make cakes. I can make bread **too**.

4　我 喝 咖 啡 ， 也 喝 茶 。
　wǒ hē kā fēi　yě hē chá

I drink coffee. I drink tea **too**.

我 很 高 ， 也 很 胖 。
5 wǒ hěn gāo   yě hěn pàng

I am very tall. I am very fat **too**.

我 去 医 院 ， 也 去 公 园 。
6 wǒ qù yī yuàn   yě qù gōng yuán

I went to the hospital. I went to the park **too**.

我 喜 欢 画 画 ， 也 喜 欢 跳
7 wǒ xǐ huān huà huà   yě xǐ huān tiào

舞 。
wǔ

I like to draw. I like to dance **too**.

Exercise

我 要 _____ ， 也 要 _____
wǒ yào _____ ， yě yào _____

我 有 _____ ， 也 有 _____
wǒ yǒu _____ ， yě yǒu _____

我 会 _____ ， 也 会 _____
wǒ huì _____ ， yě huì _____

我 _____ ， 也 _____
wǒ _____ ， yě _____

我 很 _____ ， 也 很 _____
wǒ hěn _____ ， yě hěn _____

我 去 _____ ， 也 去 _____
wǒ qù _____ ， yě qù _____

我 喜 欢 _____ ， 也 喜 欢 _____
wǒ xǐ huān _____ ， yě xǐ huān _____

带 (dài)　　　take

1. 我 带 你 去 医 院
wǒ　dài　nǐ　qù　yī　yuàn

I **take** you to the hospital.

2. 我 带 你 去 公 园
wǒ　dài　nǐ　qù　gōng　yuán

I **take** you to the park.

3. 我 带 你 去 巴 刹
wǒ　dài　nǐ　qù　bā　shā

I **take** you to the market.

4. 我 带 你 去 跑 步
wǒ　dài　nǐ　qù　pǎo　bù

I **take** you for a jog.

5.
我 带 你 去 游 泳
wǒ dài nǐ qù yóu yǒng

I **take** you for a swim.

6.
我 带 你 去 买 面 包
wǒ dài nǐ qù mǎi miàn bāo

I **take** you to buy some bread.

7.
我 带 你 去 买 水 果
wǒ dài nǐ qù mǎi shuǐ guǒ

I **take** you to buy some fruits.

Exercise

我 带 你 去
wǒ dài nǐ qù _____

我 带 你 去
wǒ dài nǐ qù _____

我 带 你 去
wǒ dài nǐ qù _____

我 带 你 去
wǒ dài nǐ qù _____

我 带 你 去
wǒ dài nǐ qù _____

帮 (bāng)　　　　**help**

1. 他 帮 我 画 花
tā　bāng　wǒ　huà　huā

He **helped** me to draw a flower.

2. 他 帮 我 画 狗
tā　bāng　wǒ　huà　gǒu

He **helped** me to draw a dog.

3. 他 帮 我 画 猫
tā　bāng　wǒ　huà　māo

He **helped** me to draw a cat.

4. 他 帮 我 问
tā　bāng　wǒ　wèn

He **helped** me to ask.

5. 他 帮 我 买 书
　　tā　bāng　wǒ　mǎi　shū

He **helped** me to buy a book. .

6. 他 帮 我 买 鞋 子
　　tā　bāng　wǒ　mǎi　xié　zi

He **helped** me to buy the shoes.

7. 他 帮 我 买 面 包
　　tā　bāng　wǒ　mǎi　miàn　bāo

He **helped** me to buy some bread.

8. 他 帮 我 买 水 果
　　tā　bāng　wǒ　mǎi　shuǐ　guǒ

He **helped** me to buy some fruits.

Exercise

他 帮 我
tā bāng wǒ _____

他 帮 我
tā bāng wǒ _____

他 帮 我
tā bāng wǒ _____

他 帮 我
tā bāng wǒ _____

他 帮 我
tā bāng wǒ _____

+ 跟 (gēn)　　　　with

1. 我 跟 你 去 医 院
wǒ gēn nǐ qù yī yuàn

I went to the hospital **with** you.

2. 我 跟 你 去 公 园
wǒ gēn nǐ qù gōng yuán

I went to the park **with** you.

3. 我 跟 你 去 巴 刹
wǒ gēn nǐ qù bā shā

I went to the market **with** you.

4. 我 跟 你 去 跑 步
wǒ gēn nǐ qù pǎo bù

I went jogging **with** you.

5. 我 跟 你 去 购 物
wǒ gēn nǐ qù gòu wù

I went shopping **with** you.

6. 我 跟 你 去 买 面 包
wǒ gēn nǐ qù mǎi miàn bāo

I went to buy some bread **with** you.

7. 我 跟 你 去 买 水 果
wǒ gēn nǐ qù mǎi shuǐ guǒ

I went to buy some fruits **with** you.

Exercise

我 跟 你 去 _____
wǒ gēn nǐ qù

我 跟 你 去 _____
wǒ gēn nǐ qù

我 跟 你 去 _____
wǒ gēn nǐ qù

我 跟 你 去 _____
wǒ gēn nǐ qù

我 跟 你 去 _____
wǒ gēn nǐ qù

地 方
+ dì　fāng　　　**+ place**

1.
他 在 家 里 睡 觉
tā　zài　jiā　lǐ　shuì　jiào

He was sleeping at **home.**

2.
他 在 学 校 读 书
tā　zài　xué　xiào　dú　shū

He was studying in the **school.**

3.
他 在 学 校 唱 歌
tā　zài　xué　xiào　chàng　gē

He was singing in the **school.**

4.
他 在 公 园 跳
tā　zài　gong　yuán　tiào

He was jumping in the **park.**

5. 他 在 房 间 笑
    tā zài fáng jiān xiào

He was laughing in the **room.**

6. 他 在 餐 馆 吃 鱼
    tā zài cān guǎn chī yú

He was eating fish in the
restaurant.

7. 他 在 家 里 吃 水 果
    tā zài jiā lǐ chī shuǐ guǒ

He was eating some fruits at
home.

8. 他 在 公 园 吃 雪 糕
    tā zài gōng yuán chī xuě gāo

He was eating an ice-cream in the
park.

Exercise

他 在 ＿＿＿＿＿＿＿ 睡 觉
tā zài shuì jiào

他 在 ＿＿＿＿＿＿＿ 读 书
tā zài dú shū

他 在 ＿＿＿＿＿＿＿ 唱 歌
tā zài chàng gē

他 在 ＿＿＿＿＿＿＿ 跳
tā zài tiào

他 在 ＿＿＿＿＿＿＿ 笑
tā zài xiào

他 在 ＿＿＿＿＿＿＿ 吃 鱼
tā zài chī yú

他 在 ＿＿＿＿＿＿＿ 吃 雪 糕
tā zài chī xuě gāo

时 间
+ shí jiān

+ time

1. 我 早 上 在 学 校
   wǒ zǎo shàng zài xué xiào

I was in the school **this morning**.

2. 我 今 天 要 休 息
   wǒ jīn tiān yào xiū xī

I want to rest **today**.

3. 我 昨 天 喝 牛 奶
   wǒ zuó tiān hē niú nǎi

I drank some milk **yesterday**.

4. 他 以 前 是 老 师
   tā yǐ qián shì lǎo shī

He was a teacher **before**.

5. 我 几 年 前 很 胖
   wǒ jǐ nián qián hěn pàng

I was very fat a **few years ago**.

6. 我 星 期 一 去 医 院
   wǒ xīng qī yī qù yī yuàn

I went to the hospital on **Monday.**

7. 我 明 天 给 你 蛋 糕
   wǒ míng tiān gěi nǐ dàn gāo

I will give you a cake **tomorrow.**

8. 我 去 年 从 中 国 来
   wǒ qù nián cóng zhōng guó lái

I came from China **last year.**

Exercise

我 _____ 在 学 校
wǒ   zài xué xiào

我 _____ 要 休 息
wǒ   yào xiū xī

我 _____ 喝 牛 奶
wǒ   hē niú nǎi

他 _____ 是 老 师
tā   shì lǎo shī

我 _____ 很 胖
wǒ   hěn pàng

我 _____ 去 医 院
wǒ   qù yī yuàn

我 _____ 给 你 蛋 糕
wǒ   gěi nǐ dàn gāo

我 _____ 从 中 国 来
wǒ   cóng zhōng guó lái

形容词
+ xíng róng cí   **adjective**

1. 他 在 美 丽 的 公 园
tā zài měi lì de gōng yuán

He is in a **beautiful** park.

2. 他 要 洗 很 多 的 衣 服
tā yào xǐ hěn duō de yī fú

He wants to wash **a lot of** clothes.

3. 他 有 可 爱 的 兔 子
tā yǒu kě ài de tù zi

He has a **cute** rabbit.

4. 他 会 做 可 口 的 面 包
tā huì zuò kě kǒu de miàn bāo

He knows how to make
delicious bread.

5. 他 买 红 色 的 皮 包

tā mǎi hóng sè de pí bāo

He bought a **red** handbag.

6. 他 是 善 良 的 医 生

tā shì shàn liáng de yī shēng

He is a **kind** doctor.

7. 他 去 很 远 的 医 院

tā qù hěn yuǎn de yī yuàn

He went to a **very far** hospital.

8. 他 喜 欢 画 高 高 的 山

tā xǐ huān huà gāo gāo dē shān

He likes to draw **tall** mountains.

5. 他 买 红 色 的 皮 包

tā mǎi hóng sè de pí bāo

He bought a **red** handbag.

6. 他 是 善 良 的 医 生

tā shì shàn liáng de yī shēng

He is a **kind** doctor.

7. 他 去 很 远 的 医 院

tā qù hěn yuǎn de yī yuàn

He went to a **very far** hospital.

8. 他 喜 欢 画 高 高 的 山

tā xǐ huān huà gāo gāo dē shān

He likes to draw **tall** mountains.

副 词
+ fù cí **+ adverb**

1. 我 在 开 心 地 笑
   wǒ zài kāi xīn de xiào

   I was laughing **happily.**

2. 我 要 慢 慢 地 洗 衣 服
   wǒ yāo màn màn de xǐ yī fú

   I want to wash my clothes **slowly**.

3. 我 静 静 地 喝 咖 啡
   wǒ jìng jìng de hē kā fēi

   I drank coffee **quietly**.

4. 我 高 兴 地 去 旅 行
   wǒ gāo xìng de qù lǚ xíng

   I went travelling **happily.**

5. 我 喜 欢 静 静 地 阅 读
wǒ xǐ huān jìng jìng de yuè dú

I like to read **quietly.**

6. 我 被 老 师 大 声 地 骂
wǒ bèi lǎo shī dà shēng de mà

I was scolded **loudly** by the teacher.

7. 我 把 蛋 糕 快 快
wǒ bǎ dàn gāo kuài kuài
地 吃 了
de chī le

I ate the cake **quickly.**

Exercise

我 在 _____ 笑
wǒ zài xiào

我 要 _____ 洗 衣 服
wǒ yào xǐ yī fú

我 _____ 喝 咖 啡
wǒ hē kā fēi

我 _____ 去 旅 行
wǒ qù lǚ xíng

我 喜 欢 _____ 阅 读
wǒ xǐ huān yuè dú

我 被 老 师 _____ 骂
wǒ bèi lǎo shī mà

我 把 蛋 糕 _____ 吃 了
wǒ bǎ dàn gāo chī le

动 词
+dòng cí   + verb

1. 他 去 房 间 躺
   tā qù fáng jiān tǎng

He went to the room to **lie down.**

2. 他 去 房 间 休 息
   tā qù fáng jiān xiū xī

He went to the room to **rest.**

3. 他 去 房 间 看 电 视
   tā qù fáng jiān kàn diàn shì

He went to the room to **watch television.**

4. 他 去 公 园 跑
   tā qù gōng yuán pǎo

He went to the park to **jog.**

5. 他 去 公 园 运 动
tā qù gōng yuán yùn dòng

He went to the park to
exercise.

6. 他 去 公 园 看 书
tā qù gōng yuán kàn shū

He went to the park to
read a book .

Exercise

他 去 房 间 _____
tā qù fáng jiān

他 去 房 间 _____
tā qù fáng jiān

他 去 房 间 _____
tā qù fáng jiān

他 去 公 园 _____
tā qù gōng yuán

他 去 公 园 _____
tā qù gōng yuán

他 去 公 园 _____
tā qù gōng yuán

量 词
+ liáng cí

+ measure word

1. 我 要 洗 三 件 衣 服
wǒ yào xǐ sān jiàn yī fú

I want to wash t**hree pieces** of clothing.

2. 我 有 两 只 兔 子
wǒ yǒu liǎng zhī tù zi

I have **two** rabbits.

3. 我 是 一 位 医 生
wǒ shì yì wèi yī shēng
I am **a** doctor.

4. 我 喝 三 杯 水
wǒ hē sān bēi shuǐ

I drank **three glasses** of water.

我 去 两 间 医 院

5. wǒ qù liǎng jiān yī yuàn

I went to **two** hospitals.

我 喜 欢 一 个 朋 友

6. wǒ xǐ huān yí gè péng you

I like **a** friend.

我 给 你 三 支 铅 笔

7. wǒ gěi nǐ sān zhī qiān bǐ

I gave you **three** pencils.

我 把 两 只 小 狗 赶 走

8 wǒ bǎ liǎng zhī xiǎo gǒu gǎn zǒu

I chased away **two** dogs.

Exercise

我 要 洗 _____ 衣 服
wǒ yào xǐ   yī fú

我 有 _____ 兔 子
wǒ yǒu   tù zi

我 喝 _____ 水
wǒ hē   shuǐ

我 去 _____ 医 院
wǒ qù   yī yuàn

我 喜 欢 _____ 朋 友
wǒ xǐ huān   péng yǒu

我 给 你 _____ 铅 笔
wǒ gěi nǐ   qiān bǐ

我 把 _____ 小 狗 赶 走
wǒ bǎ   xiǎo gǒu gǎn zǒu

Question

怎 样
zěn yàng

How

怎 样 做 面 包
1. zěn yàng zuò miàn bāo

How to make bread?

怎 样 做 饼 干
2. zěn yàng zuò bǐng gān

How to make biscuits ?

怎 样 去 公 园
3. zěn yàng qù gōng yuán

How to go to the park ?

怎 样 写
4. zěn yàng xiě

How to write ?

怎 样 玩

5. zěn yàng wán

How to play ?

怎 样 煮 鱼

6. zěn yàng zhǔ yú

How to cook fish ?

怎 样 画 鸟

7. zěn yàng huà niǎo

How to draw birds ?

怎 样 画 老 虎

8. zěn yàng huà lǎo hǔ

How to draw tigers ?

Exercise

怎 样
zěn yàng

_____

怎 样
zěn yàng

_____

怎 样
zěn yàng

_____

怎 样
zěn yàng

_____

怎 样
zěn yàng

_____

几 时
+ jǐ shí   **When**

你 几 时 要 洗 脸
1. nǐ jǐ shí yào xǐ liǎn

When do you want to
wash your face ?

你 几 时 问
2. nǐ jǐ shí wèn

When did you ask ?

你 几 时 画
3. nǐ jǐ shí huà

When did you draw ?

你 几 时 去 巴 刹
4. nǐ jǐ shí qù bā shā

When did you go to the market?

5. 你 几 时 去 医 院
nǐ jǐ shí qù yī yuàn

When did you go to the hospital?

6. 你 几 时 从 中 国 来
nǐ jǐ shí cóng zhōng guó lái

When did you come from China?

7. 你 几 时 被 老 师 骂
nǐ jǐ shí bèi lǎo shī mà

When were you scolded by the teacher ?

8. 你 几 时 把 头 发 剪 了
nǐ jǐ shí bǎ tóu fǎ jiǎn le

When did you have your hair cut?

Exercise

你 几 时 \
nǐ jǐ shí _____

你 几 时 \
nǐ jǐ shí _____

你 几 时 \
nǐ jǐ shí _____

你 几 时 \
nǐ jǐ shí _____

你 几 时 \
nǐ jǐ shí _____

哪 里
nǎ lǐ

Where

1. 你 在 哪 里
nǐ zài nǎ lǐ

Where are you ?

2. 你 去 哪 里
nǐ qù nǎ lǐ

Where did you go ?

3. 你 从 哪 里 来
nǐ cóng nǎ lǐ lái

Where did you come from ?

4. 你 要 去 哪 里
nǐ yào qù nǎ lǐ

Where are you going ?

公 园 在 哪 里
5. gōng yuán zài nǎ lǐ

Where is the park ?

妈 妈 在 哪 里
6 mā ma zài nǎ lǐ

Where is my mother ?

哥 哥 在 哪 里
7. gē ge zài nǎ lǐ

Where is my elder brother ?

弟 弟 去 哪 里
8. dì di qù nǎ lǐ

Where did my younger brother go?

Exercise

_____ 哪 里 ?
nǎ lǐ

_____ 哪 里 ?
nǎ lǐ

_____ 哪 里 ?
nǎ lǐ

_____ 哪 里 ?
nǎ lǐ

_____ 哪 里 ?
nǎ lǐ

吗 (ma) used at the end of a sentence
to indicate interrogatory

1. 你 吃 了 吗
   nǐ chī le ma
   Have you eaten ?

2. 你 喝 咖 啡 了 吗
   nǐ hē kā fēi le ma
   Have you drunk some coffee ?

3. 你 喝 牛 奶 了 吗
   nǐ hē niú nǎi le ma
   Have you drunk some
   milk ?

4. 你 去 医 院 了 吗
   nǐ qù yī yuàn le ma
   Have you gone to the hospital?

5. 你 去 巴 刹 了 吗

nǐ qù bā shā le ma

Have you gone to the market?

6. 他 给 你 芒 果 了 吗

tā gěi nǐ máng guǒ le ma

Has he given you some mangoes ?

7. 你 冲 凉 了 吗

nǐ chōng liáng le ma

Have you taken a shower ?

8. 他 去 了 吗

tā qù le ma

Has he gone ?

Exercise

你 _____ 吗 ?
nǐ   ma

你 _____ 吗 ?
nǐ   ma

你 _____ 吗 ?
nǐ   ma

你 _____ 吗 ?
nǐ   ma

你 _____ 吗 ?
nǐ   ma

吗 (ma)

你 在 睡 觉 吗
1. nǐ zài shuì jiào ma

Are you sleeping ?

你 要 跳 舞 吗
2. nǐ yào tiào wǔ ma

Do you want to dance ?

你 要 去 购 物 吗
3. nǐ yào qù gòu wù ma

Do you want to go shopping ?

你 有 猫 吗
4. nǐ yǒu māo ma

Do you have a cat ?

你 会 游 泳 吗

5. nǐ huì yóu yǒng ma

Do you know how
to swim?

你 是 老 师 吗

6. nǐ shì lǎo shī ma

Are you a teacher ?

你 很 冷 吗

7. nǐ hěn lěng ma

Are you very cold ?

你 喜 欢 跳 舞 吗

8. nǐ xǐ huān tiào wǔ ma

Do you like dancing ?

Exercise

你 在 _____ 吗 ?
nǐ zài   ma

你 要 _____ 吗 ?
nǐ yào   ma

你 要 去 _____ 吗 ?
nǐ yào qù   ma

你 有 _____ 吗 ?
nǐ yǒu   ma

你 会 _____ 吗 ?
nǐ huì   ma

你 是 _____ 吗 ?
nǐ shì   ma

你 很 _____ 吗 ?
nǐ hěn   ma

你 喜 欢 _____ 吗 ?
nǐ xǐ huān   ma

什 么
shén me

What

1. 你 在 做 什 么
nǐ zài zuò shén me

What are you doing ?

2. 你 在 吃 什 么
nǐ zài chī shén me

What are you eating ?

3. 你 要 做 什 么
nǐ yào zuò shén me

What do you want to do ?

4. 你 要 喝 什 么
nǐ yào hē shén me

What do you want to drink ?

你 会 做 什 么
5. nǐ huì zuò shén me

What can you do ?

你 会 煮 什 么
6. nǐ huì zhǔ shén me

What can you cook ?

你 喜 欢 做 什 么
7. nǐ xǐ huān zuò shén me

What do you like to do?

你 喜 欢 看 什 么
8. nǐ xǐ huān kàn shén me

What do you like to
see ?

Exercise

你 在 ＿＿＿＿＿＿＿＿ 什 么 ?
nǐ zài   shén me

你 在 ＿＿＿＿＿＿＿＿ 什 么 ?
nǐ zài   shén me

你 要 ＿＿＿＿＿＿＿＿ 什 么 ?
nǐ yào   shén me

你 要 ＿＿＿＿＿＿＿＿ 什 么 ?
nǐ yào   shén me

你 会 ＿＿＿＿＿＿＿＿ 什 么 ?
nǐ huì   shén me

你 会 ＿＿＿＿＿＿＿＿ 什 么 ?
nǐ huì   shén me

为 什 么
wèi shén me

Why

为 什 么 他 在 哭
1. wèi shén me tā zài kū

Why is he crying ?

为 什 么 他 要 卖 屋 子
2. wèi shén me tā yào mài wū zi

Why does he want to sell his house?

为 什 么 他 打 人
3. wèi shén me tā dǎ rén

Why did he hit somebody ?

为 什 么 他 很 怕
4. wèi shén me tā hěn pà

Why was he very frightened ?

150

5. 为 什 么 他 去 医 院
wèi shén me tā qù yī yuàn

Why did he go to the hospital?

6. 为 什 么 他 给 你 钱
wèi shén me tā gěi nǐ qián

Why did he give you the money ?

7. 为 什 么 他 被 妈 妈 打
wèi shén me tā bèi mā ma dǎ

Why was he beaten by his mother ?

8. 为 什 么 他 把 小 狗 赶 走
wèi shén me tā bǎ xiǎo gǒu gǎn zǒu

Why did he chase away the dog?

Exercise

为 什 么 他 在 _____
wèi shén me tā zài

为 什 么 他 要 _____
wèi shén me tā yào

为 什 么 他 有 _____
wèi shén me tā yǒu

为 什 么 他 _____
wèi shén me tā

为 什 么 他 很 _____
wèi shén me tā hěn

为 什 么 他 去 _____
wèi shén me tā qù

为 什 么 他 给 你 _____
wèi shén me tā gěi nǐ

为 什 么 他 被 _____
wèi shén me tā bèi

谁 (shuí)　　　　**Who**

1. 谁 在 睡 觉
shuí zài shuì jiào

Who is sleeping ?

2. 谁 要 洗 头 发
shuí yào xǐ tóu fǎ

Who wants to wash his hair ?

3. 谁 有 兔 子
shuí yǒu tù zi

Who has a rabbit ?

4. 谁 会 写
shuí huì xiě

Who can write ?

谁 喝 茶

5. shuí hē chá

Who drinks tea ?

谁 是 医 生

6. shuí shì yī shēng

Who is the doctor ?

谁 很 伤 心

7. shuí hěn shāng xīn

Who is very sad ?

Exercise

谁 在
shuí zài _____

谁 要
shuí yào _____

谁 有
shuí yǒu _____

谁 会
shuí huì _____

谁
shuí _____

谁 是
shuí shì _____

谁 很
shuí hěn _____

哪 (nǎ)　　　　　　　which

1. 你 在 哪 一 个 巴 刹
   nǐ　zài　nǎ　yī　gè　bā　shā

   Which market are you in ?

2. 你 要 买 哪 一 个
   nǐ　yào　mǎi　nǎ　yī　gè

   Which one do you want to
   buy?

3. 你 画 哪 一 只 狗
   nǐ　huà　nǎ　yì　zhī　gǒu

   Which dog did you draw ?

4. 你 买 哪 一 个 皮 包
   nǐ　mǎi　nǎ　yī　gè　pí　bāo

   Which handbag did you buy?

你 去 哪 一 间 医 院

5. nǐ qù nǎ yì jiān yī yuàn

Which hospital did you go to?

你 去 哪 一 个 公 园

6. nǐ qù nǎ yī gè gōng yuán

Which park did you go to ?

你 喜 欢 哪 一 只 兔 子

7. nǐ xǐ huān nǎ yì zhī tù zi

Which rabbit do you like ?

你 喜 欢 哪 一 位 老 师

8. nǐ xǐ huān nǎ yī wèi lǎo shī

Which teacher do you like ?

Exercise

你 在 哪 一 个 _____?
nǐ zài nǎ yī gè

你 要 ___ 哪 一 个 ?
nǐ yào nǎ yī gè

你 画 哪 一 只 _____?
nǐ huà nǎ yì zhī

你 买 哪 一 个 _____?
nǐ mǎi nǎ yī gè

你 去 哪 一 间 _____?
nǐ qù nǎ yì jiān

你 去 哪 一 间 _____?
nǐ qù nǎ yì jiān

你 喜 欢 哪 一 只 ___?
nǐ xǐ huān nǎ yì zhī

你 喜 欢 哪 一 位 _____?
nǐ xǐ huān nǎ yī wèi

谁 的
shuí　de

Whose

1. 这 是 谁 的 爸 爸
   zhè　shì　shuí　de　bà　ba

Whose father is this ?

2. 这 是 谁 的 铅 笔
   zhè　shì　shuí　de　qiān　bǐ

Whose pencil is this ?

3. 这 是 谁 的 房 间
   zhè　shì　shuí　de　fáng　jiān

Whose room is this ?

4. 这 是 谁 的 电 脑
   zhè　shì　shuí　de　diàn　nǎo

Whose computer is this?

这 是 谁 的 床

5. zhè shì shuí de chuáng

Whose bed is this ?

这 是 谁 的 手 表

6. zhè shì shuí de shǒu biǎo

Whose watch is this ?

这 是 谁 的 书 包

7. zhè shì shuí de shū bāo

Whose school bag is
this ?

这 是 谁 的 狗

8. zhè shì shuí de gǒu

Whose dog is this ?

Exercise

这 是 谁 的 _____
zhè shì shuí de

这 是 谁 的 _____
zhè shì shuí de

这 是 谁 的 _____
zhè shì shuí de

这 是 谁 的 _____
zhè shì shuí de

这 是 谁 的 _____
zhè shì shuí de

几 个
jǐ gè   **How many**

1. 你 要 买 几 个 碗
nǐ yào mǎi jǐ gè wǎn

How many bowls do you want to buy ?

2. 你 要 买 几 张 椅 子
nǐ yào mǎi jǐ zhāng yǐ zi

How many chairs do you want to buy ?

3. 你 有 几 只 兔 子
nǐ yǒu jǐ zhī tù zi

How many rabbits do you have ?

4. 你 有 几 辆 车
nǐ yǒu jǐ liàng chē

How many cars do you have?

5.
你 喝 几 杯 茶
nǐ hē jǐ bēi chá

How many cups of tea
did you drink ?

6.
你 吃 几 碗 饭
nǐ chī jǐ wǎn fàn

How many bowls of rice
did you eat ?

7.
你 画 几 朵 花
nǐ huà jǐ duǒ huā

How many flowers
did you draw ?

8
你 给 他 几 支 铅 笔
nǐ gěi tā jǐ zhī qiān bǐ

How many pencils did
you give him?

Exercise

你 要 买 几 个 _____
nǐ yào mǎi jǐ gè

你 要 洗 几 件 _____
nǐ yào xǐ jǐ jiàn

你 有 几 只 _____
nǐ yǒu jǐ zhī

你 有 几 辆 _____
nǐ yǒu jǐ liàng

你 喝 几 杯 _____
nǐ hē jǐ bēi

你 吃 几 块 _____
nǐ chī jǐ kuài

你 画 几 朵 _____
nǐ huà jǐ duǒ

你 给 他 几 支 _____
nǐ jǐ tā jǐ zhī

多 少
duō shǎo

How much

1. 你 有 多 少 钱
   nǐ yǒu duō shǎo qián

How much money do you have ?

2. 你 喝 多 少 水
   nǐ hē duō shǎo shuǐ

How much water did you drink?

3. 你 要 买 多 少 米
   nǐ yào mǎi duō shǎo mǐ

How much rice do you want to
buy ?

4 你 要 买 多 少 糖
   nǐ yào mǎi duō shǎo táng

How much sugar do you
want to buy?

5. 你 要 买 多 少 盐
nǐ yào mǎi duō shǎo yán

How much salt do you want to buy?

6. 这 张 椅 子 多 少 钱
zhè zhāng yǐ zi duō shǎo qián

How much is this chair?

7. 这 条 鱼 多 少 钱
zhè tiáo yú duō shǎo qián

How much is this fish ?

8. 你 给 他 多 少 钱
nǐ gěi tā duō shǎo qián

How much money did you give him ?

Exercise

你 有 多 少 _____
nǐ yǒu duō shǎo

你 有 多 少 _____
nǐ yǒu duō shǎo

你 要 买 多 少 _____
nǐ yào mǎi duō shǎo

你 要 买 多 少 _____
nǐ yào mǎi duō shǎo

你 要 买 多 少 _____
nǐ yào mǎi duō shǎo

这 _____ 多 少 钱
zhè duō shǎo qián

这 _____ 多 少 钱
zhè duō shǎo qián

你 给 他 多 少 _____
nǐ gěi tā duō shǎo

Common questions

1. 你 好 吗

nǐ hǎo ma

How are you ?

2 你 叫 什 么 名

nǐ jiào shén me míng

What is your name ?

3. 你 吃 饱 了 吗

nǐ chī bǎo le ma

Have you taken your meal ?

4. 你 有 空 吗

nǐ yǒu kòng ma

Are you free ?

好 了 吗

5. hǎo le ma

Have you finished ?

痛 吗

6. tòng ma

Is it painful ?

你 是 谁

7. nǐ shì shuí

Who are you ?

现 在 几 点

8. xiàn zài jǐ diǎn

What is the time
now ?

多 少 钱
9. duō　shǎo　qián

How much ?

你 住 在 哪 里
10. nǐ　zhù　zài　nǎ　lǐ

Where do you stay ?

你 今 年 几 岁
11. nǐ　jīn　nián　jǐ　suì

How old are you ?

Common sentences/phrases

1. 请 等 一 等
   qǐng děng yì děng
   Please hold on

2. 欢 迎
   huān yíng
   welcome

3. 请 让 一 让
   qǐng ràng yī ràng
   please excuse me

4. 请 给 我 一 杯 茶
   qǐng gěi wǒ yì bēi chá
   please give me a cup of tea

5. 好 的
hǎo de

okay

6. 我 要 走 了
wǒ yào zǒu le

I have to go

7. 太 咸 了
tài xián le

too salty

8. 太 甜 了
tài tián le

too sweet

请 排 队
9. qǐng pái duì

please queue up

买 单
10. mǎi dān

bill please

我 吃 饱 了
11. wǒ chī bǎo le

I have eaten

要 下 雨 了
12. yào xià yǔ le

It's going to rain

再见
13. zài jiàn

goodbye

好，谢谢
14. hǎo xiè xie

fine,thank you

我叫玛丽
15. wǒ jiào mǎ lì

My name is Mary

早上好
16. zǎo shàng hǎo

Good morning

17. 晚 上 好
wǎn shàng hǎo

Good night

18. 下 午 好
xià wǔ hǎo

Good afternoon

19. 谢 谢
xiè xie

Thank you

20. 不 客 气
bú kè qì

you are welcomed

21. 对 不 起
duì bù qǐ

sorry

22. 我 想 你
wǒ xiǎng nǐ

I miss you

23. 我 爱 你
wǒ ài nǐ

I love you

24. 我 知 道
wǒ zhī dào

I know

25. 请 坐
qǐng zuò

please take a seat

26. 我 的 天 啊
wǒ de tiān a

oh,my God

27. 新 年 快 乐
xīn nián kuài le

Happy New Year

28. 圣 诞 快 乐
shèng dàn kuài le

Merry Christmas

29. 生 日 快 乐
shēng rì kuài le

Happy Birthday

Nouns

名 词
míng   cí

饮 料
yǐn liào

drinks

咖 啡
kā fēi

coffee

茶
chá

tea

水
shuǐ

water

果 汁
guǒ zhī

fruit juice

橙 汁
chéng zhī

orange juice

牛 奶
niú nǎi

milk

汽 水
qì shuǐ

soft drinks

酒
jiǔ

alcoholic drinks

动 物
dòng wù

animals

狗
gǒu

dog

猫
māo

cat

老 虎
lǎo hǔ

tiger

狮 子
shī zi

lion

兔 子
tù zi

rabbit

鸟
niǎo

bird

松 鼠
sōng shǔ

squirrel

象
xiàng

elephant

熊
xióng

bear

水 果
shuǐ guǒ

fruits

苹 果
píng guǒ

apple

香 蕉
xiāng jiāo

banana

葡 萄
pú táo

grape

西 瓜
xī guā

watermelon

木 瓜
mù guā

papaya

橙
chéng

orange

芒 果
máng guǒ

mango

梨
lí

pear

地 方
dì fāng

places

公 司
gōng sī   company

家
jiā   home

戏 院
xì yuàn   cinema

餐 馆
cān guǎn   restaurant

医 院
yī yuàn   hospital

购 物 中 心
gòu wù zhōng xīn shopping centre

教 堂
jiào táng   church

公　园
gōng　yuán

park

学　校
xué　xiào

school

动　物　园
dòng　wù　yuán

zoo

植　物　园
zhí　wù　yuán

botanical garden

博　物　馆
bó　wù　guǎn

museum

游　泳　池
yóu　yǒng　chí

swimming pool

交 通
jiāo tōng

traffic

飞 机
fēi jī

aeroplane

汽 车
qì chē

car

船
chuán

boat

火 车
huǒ chē

train

马 路
mǎ lù

road

司 机
sī jī

driver

行 人
xíng rén

pedestrian

巴 士
bā shì

bus

旅 行
lǚ xíng

travel

护 照
hù zhào

passport

行 李
xíng lǐ

luggage

照 相 机
zhào xiàng jī

camera

风 景
fēng jǐng

scenery

酒 店
jiǔ diàn

hotel

机 票
jī piào

air ticket

导 游
dǎo yóu

tour guide

天 气
tiān qì

weather

国 家
guó jiā

country

中 国
zhōng guó

China

英 国
yīng guó

England

美 国
měi guó

America

日 本
rì běn

Japan

新 加 坡
xīn jiā pō

Singapore

法 国
fǎ guó

France

马 来 西 亚
mǎ lái xī yà

Malaysia

印 尼
yìn ní

Indonesia

越 yuè	南 nán		Vietnam
香 xiāng	港 gǎng		Hong Kong
澳 ào	洲 zhōu		Australia
德 dé	国 guó		Germany
印 yìn	度 dù		India
意 yì	大 dà	利 lì	Italy
韩 hán	国 guó		Korea
苏 sū	联 lián		Russia
瑞 ruì	士 shì		Switzerland
泰 tài	国 guó		Thailand

职 业
zhí　yè

occupation

老 师　　teacher
lǎo　shī

医 生　　doctor
yī　shēng

律 师　　lawyer
lǜ　shī

老 板　　boss
lǎo　bǎn

经 理　　manager
jīng　lǐ

工 程 师　engineer
gōng　chéng　shī

会 计 师　accountant
kuài　jì　shī

商 人　　businessman
shāng　rén

护 士　　nurse
hù　shì

家 人
jiā rén

Family members

爸 爸
bà ba

father

妈 妈
mā ma

mother

公 公
gōng gong

grandfather

婆 婆
pó po

grandmother

哥 哥
gē ge

elder brother

姐 姐
jiě jie

older sister

弟 弟
dì di

younger brother

妹 妹
mèi mei

younger sister

食 物
shí wù

food

鱼
yú

fish

饭
fàn

cooked rice

茶
chá

vegetable

面
miàn

noodle

面 包
miàn bāo

bread

蛋 糕
dàn gāo

cake

饼 干
bǐng gān

biscuits

鸡 jī	蛋 dàn			egg
鸡 jī	肉 ròu			chicken
牛 niú	肉 ròu			beef
羊 yáng	肉 ròu			lamb
猪 zhū	肉 ròu			pork
汤 tāng				soup
炒 chǎo	饭 fàn			fried rice
三 sān	文 wén	治 zhì		sandwich
汉 hàn	堡 bǎo	包 bāo		hamburger
意 yì	大 dà	利 lì	饼 bǐng	pizza
甜 tián	品 pǐn			dessert

公司
gōng sī

office

老 板
lǎo bǎn

boss

秘 书
mì shū

secretary

桌 子
zhuō zi

table

椅 子
yī zi

chair

电 脑
diàn nǎo

computer

电 话
diàn huà

telephone

传 真 机
chuán zhēn jī

fax

信
xìn

letter

电 梯
diàn tī

lift

家
jiā

home

客厅
kè tīng
living room

椅子
yī zi
chair

厨房
chú fáng
kitchen

厕所
cè suǒ
toilet

沙发
shā fā
sofa

电视
diàn shì
television

衣服
yī fú
clothes

鞋 子 xié zi	shoe
墙 qiáng	wall
床 chuáng	bed
碗 wǎn	bowl
碟 dié	plate
纸 zhǐ	paper
钱 qián	money
球 qiú	ball
窗 chuāng	window

自 然
zì rán   **nature**

山
shān   mountain

花
huā   flower

树
shù   tree

草
cǎo   grass

海
hǎi   sea

河
hé   river

太 阳
tài yáng   sun

月 亮
yuè liàng
moon

水
shuǐ
water

风
fēng
wind

雨
yǔ
rain

星 星
xīng xing
star

贝 壳
bèi ké
seashell

云
yún
cloud

海 边
hǎi biān
beach

雪
xuě
snow

代 名 词
dài míng cí

Pronouns

我
wǒ
I

你
nǐ
You

他
tā
He

她
tā
She

我 们
wǒ men
We

你 们
nǐ men
You (all)

他 们
tā men
They

时 间
shí jiān

Time

早 上
zǎo shàng
morning

下 午
xià wǔ
afternoon

晚 上
wǎn shàng
night

傍 晚
bàng wǎn
evening

今 天
jīn tiān
today

昨 天
zuó tiān
yesterday

明 天
míng tiān
tomorrow

今	年		this year
jīn	nián		
去	年		last year
qù	nián		
明	年		next year
míng	nián		
以	前		previously
yǐ	qián		
现	在		present
xiàn	zài		
以	后		at a later date
yǐ	hòu		
星	期	一	Monday
xīng	qī	yī	
三	年	前	three years ago
sān	nián	qián	
两	年	后	two years later
liǎng	nián	hòu	

Verbs

动 词

dòng cí

用 脚　**Verbs related to legs**
yòng jiǎo

走　walk
zǒu

跑　run
pǎo

跳　jump
tiào

站　stand
zhàn

爬　crawl
pá

踩　step
cǎi

踢　kick
tī

用 手
yòng shǒu **Verbs related to hands**

拉
lā   pull

拍
pāi   pat

打
dǎ   hit

抹
mā   wipe

抱
bào   carry

折
zhé   fold

抄
chāo   copy

指 zhǐ	point at
推 tuī	push
拾 shí	pick
搅 jiǎo	stir
掉 diào	drop
抢 qiǎng	snatch
握 wò	hold/grasp
拿 ná	take/hold
切 qiē	cut

开 kāi	open
关 guān	close
洗 xǐ	wash
摇 yáo	shake
画 huà	draw
穿 chuān	wear (clothes)
戴 dài	wear(accessories)
给 gěi	give
帮 bāng	help

买 mǎi	buy
卖 mài	sell
写 xiě	write
扫 sǎo	sweep
放 fàng	put
挖 wā	dig
找 zhǎo	find
剪 jiǎn	cut
寄 jì	send

丢 diū	throw
绑 bǎng	tie
送 sòng	give (as present)
缝 féng	sew
搬 bān	move
变 biàn	change
划 huá	row (a boat)
擦 cā	wipe/rub
让 ràng	give way to

蒸 zhēng	steam
种 zhòng	plant
排 pái	arrange
偷 tōu	steal
煮 zhǔ	cook

用 口 **Verbs related to mouth**
yòng kǒu

讲
jiǎng speak

骗
piàn cheat/deceive

喊
hǎn shout

吹
chuī blow

骂
mà scold

喝
hē drink

唱
chàng sing

吃 chī	eat
咬 yǎo	bite
问 wèn	ask
笑 xiào	laugh
哭 kū	cry
叫 jiào	call/order/shout

more verbs

睡 觉
shuì jiào   sleep

唱 歌
chàng gē   sing

跳 舞
tiào wǔ   dance

读 书
dú shū   study

冲 凉
chōng liáng   taking a shower

旅 行
lǚ xíng   travel

散 步
sàn bù   take a walk

游 泳
yóu yǒng   swim

休息 xiū xī	rest
运动 yùn dòng	exercise
购物 gòu wù	shopping
阅读 yuè dú	reading
驾车 jià chē	driving a car
谈话 tán huà	chat
刷牙 shuā yá	brush one's teeth
打扫 dǎ sǎo	clean up
种花 zhòng huā	gardening

跑 步
pǎo bù

jogging

画 画
huà huà

drawing

抽 烟
chōu yān

smoking

搭 dā	take(transport)
坐 zuò	sit
去 qù	go
学 xué	learn
做 zuò	do
玩 wán	play
飞 fēi	fly
给 gěi	give
躲 duǒ	hide

睡 shuì	sleep
寄 jì	send
躺 tǎng	lie down
爱 ài	love
看 kàn	look
听 tīng	listen
想 xiǎng	think

Adjectives

形 容 词
xíng róng cí

Describe a person

快
kuài

quick

慢
màn

slow

急
jí

hurry

高 兴
gāo xìng

happy

伤 心
shāng xīn

sad

忙
máng

busy

空 闲
kòng xián

free

用 心
yòng xīn

attentively

坏 huài — bad

好 hǎo — good

乖 guāi — obedient

早 zǎo — early

迟 chí — late

小心 xiǎo xīn — careful

粗心 cū xīn — careless

高 gāo — tall

矮 ǎi — short

胖 pàng		fat
瘦 shòu		thin
美 měi		pretty/beautiful
难 nán	看 kàn	ugly
可 kě	爱 ài	cute
善 shàn	良 liáng	kind
怕 pà		afraid
男 nán		male
女 nǚ		female

218

Describe food

甜
tián
sweet

酸
suān
sour

冷
lěng
cold

热
rè
hot

苦
kǔ
bitter

咸
xián
salty

辣
là
spicy hot

好 吃
hǎo chī
tasty

多
duō

少
shǎo

香
xiāng

臭
chòu

硬
yìng

完
wán

many/much

few/little

fragrant

smelly

hard

finished

Describe a room

整齐
zhěng qí

neat

清洁
qīng jié

clean

肮脏
āng zāng

dirty

吵
chǎo

noisy

静
jìng

quiet

大
dà

big

小
xiǎo

small

宽
kuān

wide

窄
zhǎi

narrow

Describe a place

远
yuǎn

far

近
jìn

near

亮
liàng

bright

暗
àn

dark

吵　闹
chǎo　nào

noisy

幽　静
yōu　jìng

quiet

颜 色
yán sè

colour

红 色
hóng sè

red

蓝 色
lán sè

blue

黄 色
huáng sè

yellow

绿 色
lǜ sè

dark green

白 色
bái sè

white

黑 色
hēi sè

black

褐 色
hè sè

brown

青 色
qīng sè

green

紫 色
zǐ sè

purple

形 状
xíng zhuàng

shapes

圆 形
yuán xíng

round

四 方 形
sì fāng xíng

square

长 方 形
cháng fāng xíng

rectangle

三 角 形
sān jiǎo xíng

triangle

椭 圆 形
tuǒ yuán xíng

oval